Mademoiselle NANCY

et le mariage du siècle

Jane O'Connor

Illustrations de
Robin Preiss Glasser

Texte français d'Hélène Pilotto

Éditions
SCHOLASTIC

À Cornelia et à Rob G., qui se sont unis le 21 septembre 2013
lors d'un véritable mariage du siècle.
—J.O'C.

À Bob, pour toujours.
—R.P.G.

Catalogage avant publication de Bibliothèque et Archives Canada
O'Connor, Jane
[Fancy Nancy and the wedding of the century. Français]
Mademoiselle Nancy et le mariage du siècle / Jane O'Connor ; illustrations, Robin Preiss-Glasser ;
texte français d'Hélène Pilotto.
Traduction de : Fancy Nancy and the wedding of the century.
ISBN 978-1-4431-5338-6 (relié)
I. Preiss-Glasser, Robin, illustrateur II. Titre. III. Titre: Fancy Nancy
and the wedding of the century. Français.
PZ23.O26Mam 2016   j813'.54   C2015-907406-1

Édition publiée par les Éditions Scholastic, 604, rue King Ouest, Toronto (Ontario) M5V 1E1,
avec la permission de HarperCollins Publishers.

5 4 3 2 1   Imprimé en Malaisie 108   16 17 18 19 20

Pour réaliser les illustrations de ce livre, l'artiste a utilisé de l'encre, de l'aquarelle et de la gouache
sur du papier à aquarelle.
Typographie de Jeanne L. Hogle

Il n'y a rien de plus splendide qu'un mariage.
C'est une cérémonie (un mot chic qui veut dire
« célébration ») extraordinaire! J'ai déjà organisé
beaucoup de mariages, mais bientôt...

je vais enfin assister à un vrai mariage!

— Mon oncle Charles a téléphoné! Il va se marier!
Béa a été demoiselle d'honneur deux fois. Elle me
pose une foule de questions.

— Les invités porteront-ils des robes longues et des smokings? La réception aura-t-elle lieu dans un hôtel chic? Et...

seras-tu demoiselle d'honneur?

J'en suis presque sûre, mais oncle Charles ne veut rien révéler. Il veut que ce soit une surprise.

— La seule chose qu'on sait, dis-je à Béa, c'est le prénom de la mariée : elle s'appelle Aurore. (Ce mot veut dire « lever du soleil ».) Avec un tel prénom, le mariage sera sûrement chic.

Il aura lieu dans deux semaines. J'y pense jour et nuit.
Je prépare mes bagages bien avant notre départ.

Le grand jour est enfin arrivé! En route!

Je décide de fermer les yeux un instant pour être fraîche et dispose.

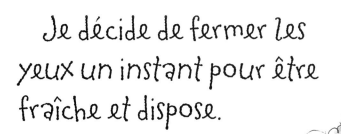

Oh là là! Nous voici à l'hôtel. Je n'en crois pas mes yeux. On dirait un palais! Un palais est encore plus grand qu'un château.

La piscine fait la taille d'un lac et la glissoire d'eau est la plus longue au monde.

Je passe l'après-midi au salon de beauté.

Et... ô joie! Je suis demoiselle d'honneur.
(Jojo m'aide : elle tient ma traîne.)

Pour animer la réception (un mot chic pour dire « fête »), il y a un orchestre ET un DJ. Nous dansons toute la nuit. C'est le mariage du siècle!

Tout à coup, ma mère m'appelle :
— Nancy! Nancy! Réveille-toi!
Nous sommes arrivés.

Pardon?

Ce n'était donc qu'un rêve?

Quand je sors de la voiture, je n'en crois pas mes yeux.

Nous sommes en pleine nature! Soudain,
j'ai le terrible pressentiment que le mariage
ne ressemblera pas du tout à celui de mon
rêve.

Je demande à ma mère :
— Je suis bien demoiselle d'honneur, n'est-ce pas?
— Non, il n'y en aura pas, répond-elle.

Elle m'explique qu'oncle Charles et Aurore souhaitent se marier en toute simplicité. Ils veulent une cérémonie non traditionnelle.

Je comprends tout de suite que ces mots d'allure chic signifient en fait : E-N-N-U-Y-A-N-T.

Je demande à mon père :

— Pourrai-je quand même rester à la réception jusqu'à minuit?

— À vrai dire, le mariage aura lieu le matin. Un *déjeuner* sera servi ensuite, répond-il en se frottant les mains et en se léchant les lèvres. Miam... Des crêpes!

Un déjeuner? Mais le déjeuner est le repas le moins chic de la journée!

Je fais de mon mieux pour cacher ma déception. Cela signifie que je ne montre pas que je suis malheureuse.

Au moins, il y a une glissoire.

Jojo et moi, nous faisons la connaissance d'Aurore.
— Je collectionne les cailloux étranges, nous dit-elle.
Voulez-vous m'aider à en trouver?

— Volontiers, dis-je.

Puis j'en aperçois un.
— Oh là là! J'en ai trouvé un gros
en forme de cœur. Il est translucide!
Cela veut dire qu'il laisse passer la
lumière, dis-je à Aurore.

J'offre le caillou en forme de cœur à Aurore parce qu'oncle Charles et elle sont amoureux.

— Je vais le garder toute ma vie, s'exclame Aurore. Oh! Ça pourra être mon objet neuf!

Aurore nous explique que le jour de son mariage, la mariée aime bien avoir un objet neuf, un objet vieux, un objet emprunté et un objet bleu.

— C'est une vieille tradition, précise-t-elle.

— Mais maman a dit que votre mariage est non traditionnel, dis-je. Vous ne faites pas les choses habituelles.

— C'est vrai, dit Aurore en souriant, mais c'est une tradition que j'aime bien. Maintenant, il ne me manque plus qu'un objet emprunté.

— Aucun problème, dis-je. Je peux te prêter quelque chose.

Aurore nous accompagne à notre chalet.
Je trouve quelque chose d'absolument parfait
pour elle.

Ce soir-là, il y a une fête. J'ai le droit
de rester jusqu'après minuit!

J'ignorais que la forêt était si bruyante. Un hibou hulule.
Des grillons chantent. Je mets du temps à m'endormir. Quand
il est l'heure de me lever et de m'habiller pour le mariage, j'ai
l'impression que je n'ai pas dormi de la nuit.

Parmi tous les invités, je suis de loin la plus chic.

Voici la mariée. Aurore est plus que jolie... elle
est magnifique, belle à couper le souffle, ravissante.
Devine ce qu'elle m'a emprunté?

Pendant la cérémonie, nous pleurons tous un petit peu parce que c'est ce que l'on fait à un mariage. C'est la tradition.

Au moment exact où le soleil se lève, mon oncle Charles et ma nouvelle tante Aurore échangent un baiser.

J'ai changé d'idée. Il n'y a rien de plus splendide qu'un mariage non traditionnel.

Le dernier à l'eau sent la mouffette!